fox

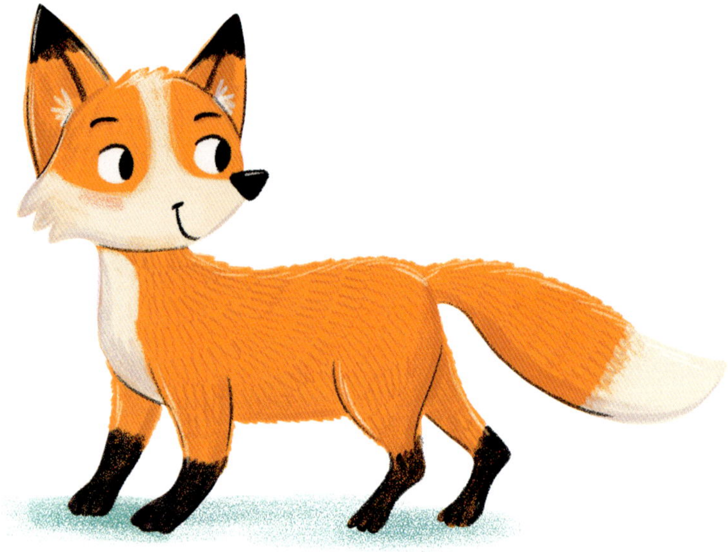

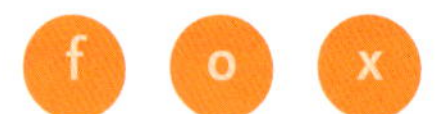
f o x

yak

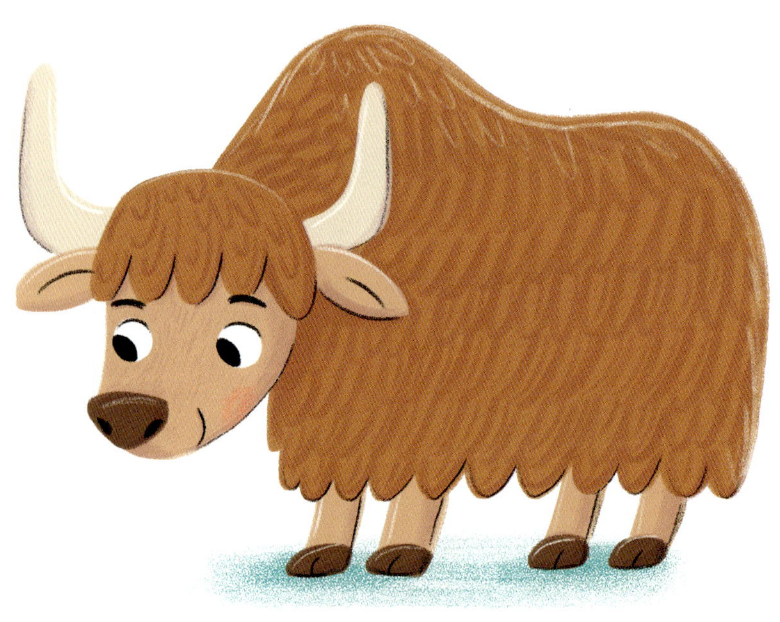

y a k

six

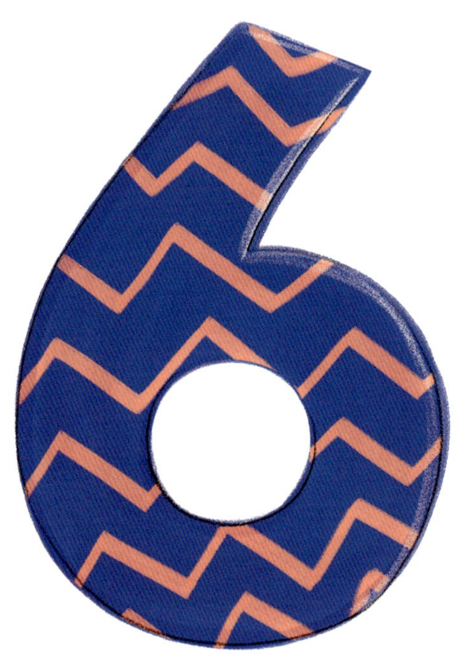

s

i
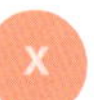
x

ship

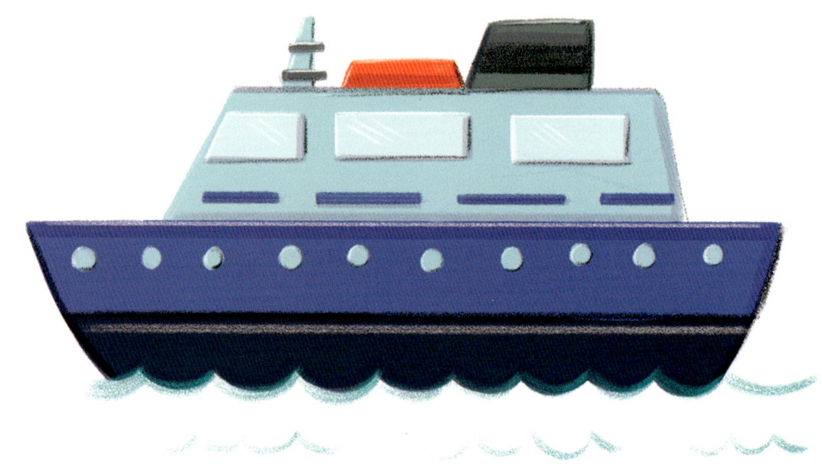

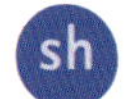
sh
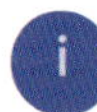
i

p

chin

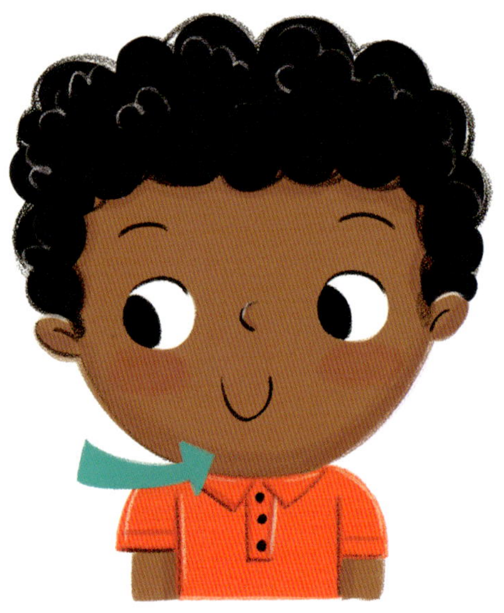

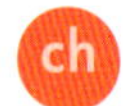
ch
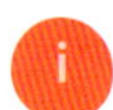
i

n

moth

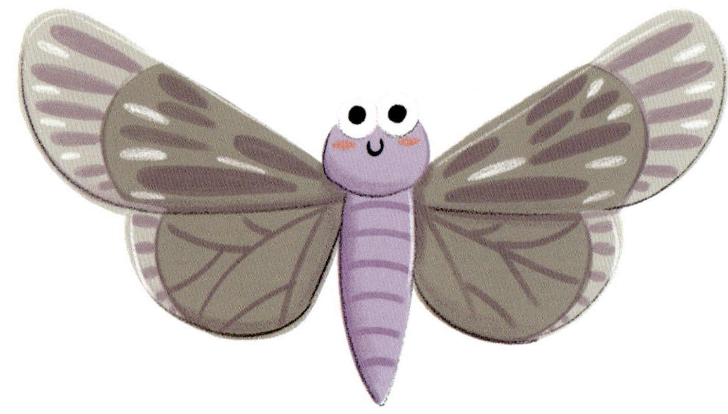

m
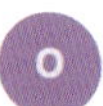
o

th

shampoo

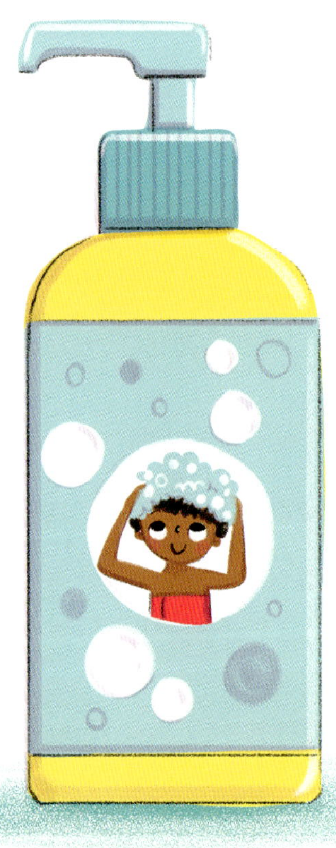

sh
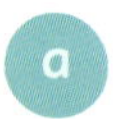
a

m
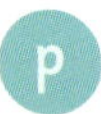
p

oo

ostrich

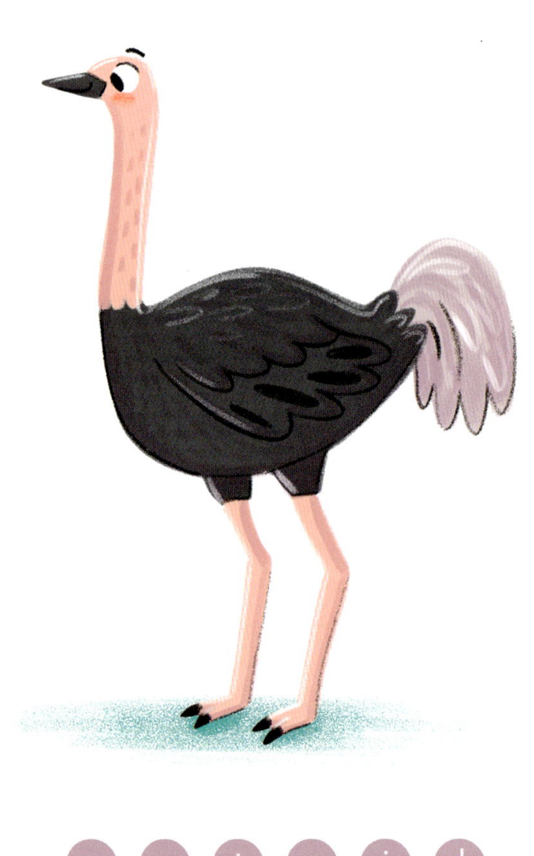

o s t r i ch